DIOS te hizo ESPECIAL

Importado y publicado en México en 2017 por /
Imported and published in Mexico in 2017 by:
Advanced Marketing, S. de R.L. de C.V.
Calz. San Francisco Cuautlalpan No. 102 Bodega "D",
Col. San Francisco Cuautlalpan, Naucalpan, Edo. de México
C.P. 53569

Impreso en India.

Silver Dolphin
en español

1

Dios hace que todos los niños sean diferentes.

¡Nadie más en el mundo tiene una cara exactamente igual a la tuya!

¡Nadie más en este mundo tiene la misma voz que tú!

Dios te ha dado muchas bendiciones:
¡Puedes cantar! ¡Puedes bailar!

¡Puedes hacer tus propias caras chistosas!

Tus ojos ven y entienden el mundo en tu propia manera especial.

HONEY

Dios te da a elegir entre el camino del bien y el camino del mal.

¡Sigue siempre el camino correcto!

Dios te ha bendecido con una familia amorosa.

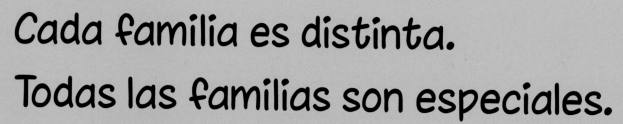

Cada familia es distinta.
Todas las familias son especiales.

¡Dale gracias a Dios por haberte hecho único y especial!